Come Accelerare il Tuo Metabolismo?

Un modo sano e sostenibile per perdere peso superfluo durante diete intensive, low-carb e molte altre.

Dan Hild

Edition : BoD - Books on Demand

12/14 rond-point des Champs Elysées

75008 Paris

Imprimé par BoD – Books on Demand, Norderstedt

ISBN: 978-2-3222-5589-4

Dépôt légal : 11/2020

Introduzione

Utilizzando questo libro, accetti in pieno queste condizioni.

Nessuna indicazione

Il libro contiene informazioni. L'informazione non è un'indicazione e non dovrebbe essere recepita come tale.

Se pensi di avere una malattia dovresti consultare immediatamente il medico. Non ritardare, trascurare o seguire mai in maniera discontinua le indicazioni del medico a causa delle informazioni del libro.

Nessuna rappresentanza o garanzia

Escludiamo nella misura massima della legge applicabile alla sezione sottostante ogni rappresentanza, garanzia e iniziativa relativa al libro.

Fatta salva la generalità del paragrafo precedente, non rappresentiamo, garantiamo e non ci impegniamo o assicuriamo:

- che le informazioni contenute nel libro siano corrette, accurate, complete o non ingannevoli;

- che l'uso della guida nel libro porterà particolari risultati.

Limitazioni ed esclusioni di responsabilità

Le limitazioni ed esclusioni della responsabilità descritte in questa sezione e altrove in questo disclaimer: sono soggette alla sezione 6 sottostante; impediscono tutte le responsabilità derivanti dal disclaimer o relative al libro, incluse le responsabilità inerenti al contratto, a illeciti civili o per violazione degli obblighi di legge.

Non siamo responsabili di qualsiasi perdite o eventi che vanno oltre il nostro controllo.

Non siamo responsabili riguardo a perdite economiche, perdite o danni a guadagni, reddito, utilizzo, produzione, risparmi, affari, contratti, opportunità commerciali o favori.

Non siamo responsabili riguardo a qualsiasi perdita o danneggiamento di qualsiasi dato, database o programma.

Non siamo responsabili riguardo a qualsiasi particolare perdita o danno indiretto o conseguente.

Eccezioni

In questo disclaimer niente può: limitare o escludere la nostra responsabilità di morte o lesione personale causata da negligenza; limitare o escludere la nostra responsabilità per frode o false dichiarazioni; limitare le nostre responsabilità in qualsiasi modo vietato dalla legge; o escludere le nostre responsabilità che non possono essere escluse dalla legge.

Separabilità

Se una sezione di questo disclaimer è giudicata illegale e/o inapplicabile dalle autorità competenti, le altre sezioni continuano ad essere valide.

Se qualsiasi sezione illegale e/o inapplicabile sarebbe legale o applicabile cancellandone una parte, verrà considerata la possibilità di cancellare quella parte e il resto della sezione continuerà ad essere valida.

Legge e giurisdizione

Questo disclaimer sarà disciplinato e intepretata conformementedalla legge svizzera, e ogni disputa relativa a questo disclaimer sarà soggetta all'esclusiva giurisdizione dei tribunali della Svizzera.

Premessa

Ciao, caro lettore,

Se hai davanti questo libro, è molto probabile che tu sia un individuo obeso. Indipendentemente dal fatto che tu lo sia di qualche chilo o di molti. Probabilmente hai provato a seguire molte diete, da quelle che affermavano che dovresti mangiare metà porzioni, a quella fatta interamente di brodi o ananas e hai notato che portare avanti una di queste è una strada a dir poco difficile.

Tuttavia, non vuoi rinunciare al tuo obiettivo di perdere peso, o indossare la camicia che ami, o semplicemente vuoi sentirti di nuovo sexy e affascinante.

Quello che ti presento in questo libro non è una dieta con un metodo diverso, come quelle che esistono già. E non importa se segui già una dieta high carb o un bilancio metabolico o ancora un programma fai-da-te. L'obiettivo è quello di mostrarti modi aggiuntivi coi quali la tua dieta può avere più possibilità di successo, per perdere più peso senza sforzarti ulteriormente.

Il segreto per ottenere ciò è molto semplice. Ti mostrerò come stimolare il tuo metabolismo e in questo modo avere la capacità di bruciare calorie in maniera più veloce. Questo libro non contiene suggerimenti che riguardano l'attività sportiva o l'esercizio fisico o roba del genere. Non perché non è sensato includerli, ma perché chi ha molto peso in più comincia e continua raramente un programma impegnativo di quel tipo. Prima di tutto perché capisce i limiti del suo corpo e della sua condizione fisica, poi perché si vergogna del fatto che la gente possa pensare di vedere un tricheco correre per strada.

Siamo tutti a conoscenza dei danni sia fisici sia psicologici che le persone sovrappeso affrontano ogni giorno. Questo è il motivo per il quale vorrei offrire consigli per aiutarti a raggiungere un peso con il quale tu ti senta più a tuo agio. Naturalmente dovresti pensare di aggiungere dell'attività fisica quando il tuo corpo e la tua mente lo permettono. Ma anche se questa non è una cosa che vuoi pensare adesso o nel futuro prossimo, quello che troverai nelle pagine di questo libro ti aiuterà a perdere molto peso velocemente e in maniera efficace. Indipendentemente dalla dieta o dal programma che stai seguendo.

Ti auguro fortuna e successo nel tuo raggiungimento del peso desiderato.

Tuo,
Dan Hild

Diete, Diete, Diete.

Quante diete nate dai prodotti per perdere peso che vengono presentati nei negozi, nei libri, nelle pubblicità pensi che esistano? La risposta è semplice: Di più. Molte più di quanto credi. E ogni mese vedrai che ne è uscita una nuova. Inoltre ce ne sono alcune che esistono già e che qualcuno prende, cambia loro il nome e ripresenta come sua idea.

Indipendentemente da quale sia la tua dieta preferita. Questo libro non è fatto per verificare la loro veridicità e darti la risposta completa e assolutamente giusta.

Nel complesso, questo libro mostra soprattutto che non importa quale dieta tu abbia scelto, puoi avere un successo maggiore seguendo semplicemente alcuni facili consigli. I prodotti menzionati qui non dovrebbero essere considerati come integratori da usare nello stesso tempo. Al contrario: Questi sono solo prodotti da aggiungere al tuo programma dietetico e ti invito a saperne di più. Alcuni di essi potrebbero non essere adatti a te a causa della tua dieta. Altri ti daranno la possibilità di raggiungere più velocemente e mantenere il peso che desideri.

La maggior parte di questi consigli e approcci sono intesi per stimolare il tuo metabolismo per farti raggiungere un livello di combustione maggiore. Non è consigliato utilizzare tutti questi metodi in una volta sola, poiché il risultato potrebbe avere un impatto negativo sulla tua salute, dato che il metabolismo funzionerebbe ad una velocità tale da danneggiare la tua circolazione. Ti preghiamo di consultare un professionista del settore e seguire le istruzioni date così da poterne ricavare solo il meglio per il tuo corpo.

Accelerare il Tuo Metabolismo Basale, la Chiave per il Successo

Wikipedia.de dà la seguente definizione riguardo al metabolismo basale:

Il metabolismo basale è una variabile comunemente utilizzata in zoologia. Mostra il dispendio energetico per unità in un organismo. Può calcolare l'uscita di energia che presenta un organismo, in calorie, che può essere determinato unicamente come una parte del dispendio energetico rilasciato in calore.

Il dispendio energetico o l'entrata totale è intesa, nel campo della fisiologia (in particolare nell'ecofisiologia) come la quantità di energia per unità di tempo di cui ha bisogno un essere vivente per far sì che tutti i processi funzionino correttamente. Il dispendio energetico viene calcolato a seconda del metabolismo basale e al funzionamento di un organismo. Quando c'è da stimare il fattore del funzionamento, è importante considerare l'intensità del lavoro fisico.

Il dispendio energetico può essere misurato direttamente o indirettamente attraverso le calorie. Siccome il metodo è molto complicato, il metodo indiretto è utilizzato in particolare per esseri viventi più grandi, come gli esseri umani. Questo è possibile grazie alla scomposizione dell'acqua (H_2O), al diossido di carbonio (CO_2) e ai prodotti che contengono nitrogeno e possono essere misurati. Dai risultati della misurazione il dispendio energetico può essere calcolato con i valori calorici e i nutrienti conservati.

Il dispendio energetico differisce non solo fra le specie e la popolazione, ma anche a livello individuale. Durante l'attività fisica tu utilizzerai *molta più energia di quando sei a riposo. Inoltre un corpo che vive in temperature molto alte o molto basse richiede più energia per conservare la temperatura ottimale rispetto ad uno che vive in temperature normali (vedi anche termoregolazione).*

In un organismo ci sono anche differenze di dispendio energetico. Per questo il livello di metabolismo nei depositi di grasso è molto minore rispetto agli organi come cuore, fegato o rene.

È possibile capire bene questa cosa con una semplice immagine mentale:

Immagina di dover tenere calda una casa molto grande. Il proprietario di casa ha un accordo con taglialegna locali che gli forniscono la legna che ritengono necessaria. Dato che i taglialegna preferirebbero guadagnare molto, gliene consegnano troppa invece di pochissima. E ogni pezzo di legna che non usi durante il giorno dev'essere immagazzinata per evitare di essere rubata durante la notte. Il tuo appartamento sta per scoppiare. Il tuo nuovo obiettivo è quello di bruciare tutta la legna che ti è stata consegnata durante il giorno. Se programmi di bruciare quella legna velocemente, riuscirai a fare spazio e avresti vinto. Avresti vinto più spazio e una qualità della vita molto migliore. Questo è il motivo per il quale pensi spesso a bruciare più legna possibile senza far incendiare la casa o causare danni irreparabili.

È esattamente questo il discorso che affrontiamo in questo libro. Tuttavia, nella vita reale i taglialegna non sono quelli che consegnano la legna ma te stesso che crei riserve nel tuo corpo attraverso tutto quello che mangi al supermercato o in qualsiasi altro posto. Il nostro obiettivo comune d'ora in poi sarà quello di pensare alle calorie, che non sono altro che l'energia contenuta dal nostro cibo, e tenteremo di bruciarle nella maniera più veloce possibile così da far utilizzare al tuo corpo le riserve. Solo quando riesci a gestire questa cosa a lungo termine avrai una qualità della vita migliore.

Respira a Modo Tuo per una Vita Più Sana

Quando ero piccolo, mio padre mi diceva continuamente che respiravo in maniera sbagliata. Dovevo farlo più profondamente e consapevolmente. Oggi penso spesso a quel consiglio. Se solo avessi ascoltato lui e il suo suggerimento invece di inserirlo nella categoria del padre so-tutto-io, mi sarei risparmiato decenni di problemi di peso. Così come l'umiliazione, la depressione, la frustrazione e la brutta abitudine di mangiare per calmare le mie emozioni.

In effetti ho riscoperto recentemente questo concetto, quando un'amica cantante mi ha parlato del modo corretto di respirare e dopo questo ho cominciato a perdere peso.

Mi ha semplicemente chiesto come facevo a perdere così tanto peso, dato che lei aveva perso venti chili da quando aveva cominciato i suoi studi. Ha realizzato solo ora che una respirazione profonda accelera molto il metabolismo e fa sì che il peso superfluo svanisca praticamente da solo.

Le cellule che non ricevono abbastanza ossigeno o che, per altre ragioni, non ricevono la quantità necessaria, non funzionano come dovrebbero. L'obiettivo è sopravvivere e questo non è il modo migliore per raggiungere lo scopo. Il funzionamento delle cellule in natura è questo: la combustione richiede ossigeno e, quando le cellule ne ricevono troppo poco, si accendono ma non bruciano.

Il risultato si presenta in due modi: il corpo consuma meno energia e quindi calorie. Per di più, la cellula non funziona in maniera adeguata. Questo accade indipendentemente dal fatto che queste cellule appartengono al cuore, al rene, al cervello o al sistema nervoso.

Semplicemente non funzionano come dovrebbero. Molti ricercatori pensano che ricevere basse quantità di ossigeno ha conseguenze sull'invecchiamento prematuro delle persone, o anche su malattie come il cancro. Otto Warburg ha ricevuto il Premio Nobel nel 1931 ed è stato onorato per i suoi risultati in questo campo dalla Repubblica Federale della Germania con il suo francobollo[1].

Riguardo al fatto che vogliamo accelerare il metabolismo, qui troverai un esercizio che dovrebbe essere svolto tre volte al giorno, in sessioni di cinque minuti ciascuna. I tre passaggi sono i seguenti:

---

[1] *Wikipedia.es*:
Otto Heinrich Warburg (Friburgo, 8 ottobre 1883 – Berlino, 1 agosto 1970) era un fisiologo tedesco. Nel 1931 ha ricevuto il Premio Nobel per la Fisiologia o Medicina per la sua "scoperta della natura e del metodo d'azione dell'enzima respiratorio."

- Inspira profondamente col tuo stomaco attraverso il naso contando mentalmente fino a cinque.
- Ora trattieni l'aria all'interno del tuo corpo e, alla stessa velocità, conta da 0 a 15.
- Infine espira con la bocca contando fino a otto.

Questo esercizio dovrebbe essere svolto dalle 10 alle 12 volte a sessione. Noterai che dopo averlo fatto per qualche giorno avrai più energia. Se aggiungi questo esercizio ad un programma dietetico, vedrai i risultati più velocemente.

Noterai presto che quella stanchezza che arriva dopo ogni pasto è ogni volta minore. La ragione di quest'affaticamento, nella maggior parte dei casi, non è che il corpo è pieno, ma perché il cuore ha funzionato per mezza giornata e ha utilizzato molto ossigeno e questo gli fa perdere forza durante la diminuzione dell’ossigeno del sangue. Quando l’ossigeno rimanente viene usato per i processi digestivi ce n’è ancora meno per far funzionare adeguatamente il cuore. Questo succede perché il corpo, cercando di proteggersi interamente, passa ad una modalità di riposo. Inoltre se svolgi questi esercizi di respirazione di mattina e di pomeriggio avrai più ossigeno per digerire e per le funzioni del cuore, permettendo al tuo cuore di continuare ad essere forte.

Tè Pu-Erh

Il tè Pu-Erh deriva dalla stessa pianta del diffuso tè nero, ma è diverso da questo perché viene prodotto in un altro modo.

Questo diverso metodo di produzione significa che il tè ha una varietà di ingredienti che si degradano molto nel processo che richiede il tè nero. C'è una presentazione molto interessante di questo tè, pubblicata recentemente da Peter Carl Simons.

Mentre in Germania la German Nutrition Society (DGE, acronimo in tedesco) mette in guardia su questo tè, è stato usato con successo per molti secoli nel suo paese d'origine come parte della medicina tradizionale cinese. Inoltre è stato scoperto ed esposto sempre più in molte università famose in tutti gli Stati Uniti e l'Europa.

Il tè Pu-Erh viene normalmente presentato come un prodotto per perdere peso. Senza offrire nessuna dimostrazione scientifica, la German Nutrition Society ha stabilito che non è così. Ha inoltre avvertito riguardo ai suoi contenuti in quanto contiene sostanze stimolanti come la caffeina e la teobromina che può costituire un pericolo se il tè Pu-Erh viene consumato in maniera eccessiva.

La caffeina, di sicuro lo sai, è quella contenuta nel tuo caffè e la teobromina è la sostanza che forma dall'1 al 2,5% dei semi di cacao dell'albero del cacao. Possiamo trovarla anche nelle famose bevande di cola, mate o tè nero. Il cioccolato contiene una quantità che va dai 3 ai 10 grammi di teobromina per chilogrammo, a seconda dell'azienda che lo produce. Sicuramente il DGE ha ragione sul fatto che queste sostanze non debbano essere consumate in maniera eccessiva, ma allora dovremmo aggiungere alla lista anche il latte, il formaggio, il vino, le erbe aromatiche e il tè alla menta.

Molte prove cliniche hanno dimostrato che il tè Pu-Erh non gestisce solo l'accelerazione del livello del metabolismo in maniera significativa, stimolando così la combustione dei grassi, ma ha anche effetti positivi sul sistema immunitario, riduce il colesterolo e i livelli di grasso nel tuo sangue.

Il tè Pu-Erh è un sostegno fantastico per qualsiasi dieta. Consumato moderatamente, questo tè accelera il tuo metabolismo in maniera perfetta. Gli esperti affermano che la quantità massima da consumare al giorno dovrebbe essere da 1 a 2 litri.

Per la sua conservazione e preparazione, Simons scrive nel suo libro:

Se bevi il tè Pu-Erh per motivi di salute o solo per gusto: è importante che conservi correttamente il tuo tè. Ricorda che il tè Pu-Erh è fermentato naturalmente, e mentre è nella tua cucina potrebbe continuare a farlo. Per questo motivo non dovrebbe essere conservato in un posto non ventilato. Il recipiente ideale sarebbe un vaso di ceramica senza particolari.

La differenza tra questo e gli altri tipi di tè è che il tè Pu-Erh può essere conservato a lungo. In Cina ci sono antichi tè di diverse varietà. Può essere paragonato al vino. Puoi trovare sul mercato dei tè che sono stati conservati per oltre 50 anni. Se conservati correttamente possono acquisire nutrienti e un gusto migliore col passare del tempo. I prodotti di alta qualità possono essere conservati per più tempo e queste varietà possono essere costose come i vini pregiati.

Se hai comprato il tuo tè in un contenitore dovresti togliere le foglie con un oggetto affilato e con estrema cura. In Cina viene usato un particolare tipo di coltello per questo tè. Con la lama sottile puoi togliere le foglie dal contenitore senza rovinarle o spezzarle. Le foglie spezzate danno un sapore acido. Gli intenditori di tè usano una teiera cinese tipica di argilla per prepararlo. Chi non ha questo tipo di teiera può usare una teiera normale.

Poi aggiungi dai 5 ai 20 grammi di foglie nella teiera e la riempi per ¼ di acqua bollente, a seconda della qualità del tè. La prima infusione viene versata qualche secondo dopo ma non dovrebbe essere consumata, poiché è forte e acida. Dovrebbe essere bevuto solo dalla seconda infusione in poi. Le foglie già umide vengono coperte in acqua bollente. Dopo cinque o dieci secondi puoi versare il tè in un altro recipiente. Le foglie bagnate possono essere riutilizzate dalle cinque alle dieci infusioni. Il gusto e la qualità degli ingredienti però è migliore nelle prime cinque infusioni (la prima, *quella forte e acida, non conta). Il tè va bevuto lentamente e in piccoli sorsi.*

Caffè Verde

Un'alternativa perfetta al tè Pu-Erh è il caffè verde. Il caffè verde non è un caffè acerbo o un tè biologico. Si riferisce solo ai chicchi di caffè che non sono stati ancora tostati. È il prodotto naturale e, ogni giorno cresce il numero di persone che tostano il caffè con un dispositivo in vendita.

Questa cosa è strettamente connessa al fatto che il caffè verde è più facile da ottenere e più disponibile in qualsiasi momento in America centrale e meridionale, così come in Africa, in sacchetti da mezzo chilo o da un chilo.

Il caffè verde paragonato al caffè normale contiene livelli di vitamine significativamente più alti, perché molti dei nutrienti vengono distrutti nel processo di tostatura. Riguardo al suo uso durante una dieta o come integratore è utile perché contiene un alto livello di acido clorogenico.

Wikipedia.de afferma:

L'acido clorogenico è un antiossidante e i suoi isomeri proteggono il DNA da ogni tipo di danno, con effetti che hanno dato buoni risultati in casi estremi come quelli delle cellule danneggate da radiazioni radioattive. Dopo aver ricevuto cibo, il corpo riduce l'assorbimento di zucchero nel flusso sanguigno. Questo supporta la teoria che l'acido clorogenico mostri un effetto antidiabetico negli esseri viventi. Inoltre, negli individui sani riduce la pressione sanguigna. L'acido clorogenico arresta la coagulazione del sangue. E in alcuni studi tenuti in Svizzera, aventi come soggetto dei topi, è stato dimostrato un effetto positivo in diversi tipi di ulcera gastrica, insieme alla capacità di arrestare l'infiammazione al fegato. Infine è stato dimostrato che l'acido clorogenico può attivare la morte programmata delle cellule cancerose.

Con più dettagli, Peter Carl Simmons afferma nel suo libro:

Durante il processo di combustione dei grassi, l'acido clorogenico ha un'importanza particolare. È alla base degli effetti brucia-grassi del caffè verde. Nella tostatura dei chicchi di caffè, questi nutrienti e i relativi effetti vengono distrutti.

Un modo semplificato per vederlo è dire che l'acido clorogenico ferma l'assorbimento e l'immagazzinamento di zucchero nel corpo. E se il corpo comincia ad assorbire meno zucchero, riduce automaticamente il grasso, in quanto il corpo comincia a lavorare con il grasso immagazzinato. Il risultato di un uso costante di caffè verde diminuisce i livelli di grasso corporeo e, dunque, diminuisce il peso.

Estratto di Radice di Maca

L'estratto di Radice di Maca è un'importante fonte di energia che dà vitalità al corpo, specialmente di mattina, e accelera anche il metabolismo.

L'estratto di radice di Maca cresce nel suo paese di origine, nelle Ande peruviane e dai 3800 ai 4800 metri di altezza sul livello del mare. Indipendentemente da queste condizioni inadeguate e insieme all'aria, queste piante assorbono ogni nutriente disponibile nelle radici. Per i nativi questa è un'importante fonte di sostentamento, che dimostra che non si può abusarne.

L'estratto di radice di Maca viene utilizzato principalmente per curare la disfunzione erettile, così come i problemi ormonali o di infertilità nelle donne. La maca è usata anche dai bodybuilder come un'alternativa naturale agli steroidi. Per questo è largamente disponibile in tutto il mondo.

In relazione ad una dieta, due degli effetti della maca possono destare grande interesse. Innanzitutto aiuta nella formazione dei muscoli. Naturalmente questo può sembrare negativo quando qualcuno sta cercando di perdere peso, perché più massa muscolare metterai su, maggiore sarà il tuo peso. Ma sarebbe un approccio sbagliato in quanto ogni fibra muscolare brucia calorie di giorno e di notte, e a lungo termine sarebbe un ottimo supporto per i tuoi problemi dietetici.

Cosa altrettanto importante, la radice di maca ti fornisce molta energia. La radice nera è la più indicata. Ci sono anche radici rosse e radici gialle. Nel mio caso, prendere dai 500 ai 1000 milligrammi di radice di maca di mattina funziona molto meglio del caffè più forte. Inoltre il metabolismo viene stimolato e, come descritto da Simmons, ci dà buonumore e ci garantisce una buona giornata.

Bevanda della Buona Notte

Molti programmi dietetici, specialmente quelli delle riviste, riducono drasticamente la quantità di proteine durante una dieta. Queste sono teorie che non dovrebbero essere più utilizzate. Da molti anni infatti si sa che la carenza di proteine in una dieta è la causa più comune di aumento di peso. L'obiettivo principale di ogni dieta infatti dovrebbe essere quello di mantenere una giusta quantità di muscoli e offrire al corpo una quantità appropriata di proteine. Studi scientifici dimostrano che 2 grammi per chilo dovrebbero essere sufficienti. Una persona che pesa 90 chili avrebbe bisogno di 180 grammi per conservare i muscoli esistenti e coprire allo stesso tempo il fabbisogno di proteine del corpo.

Ciò che i creatori di diete a basse quantità di proteine non sanno o decidono deliberatamente di ignorare è che ogni muscolo brucia grasso ogni secondo, sia se ci muoviamo sia se stiamo dormendo. E se è vero che questa massa pesa, è anche vero che ci aiuta a diminuire il peso e conservare una quantità sana di brucia-grassi. Un approccio come quello della dieta a basse quantità di proteine è una cattiva idea al pari di una macchina che pensa che il suo peso diminuisca la sua velocità, decidendo così di sbarazzarsi del motore, la sua parte più importante.

La quantità di proteine raccomandata potrebbe sembrare esagerata, ma se prendiamo in considerazione il fatto che ogni secondo circa 50 milioni di cellule vengono rimpiazzate da nuove nel corpo umano, e le proteine rappresentano la componente maggiore di queste, possiamo capire che non stiamo esagerando.

Un caro vecchio amico anni fa mi ha parlato di questa Bevanda della Buona Notte e, devo ammetterlo, inizialmente ero scettico. Nonostante questo ho deciso di darle una possibilità. Il miscuglio è molto semplice:

- 40 g di proteine in polvere (con un CFM di qualità, se possibile)
- 1 cucchiaino di miele

- succo di limone (biologico)

- dai 0,3 ai 0,5 litri di acqua fresca

Ogni ingrediente viene mescolato e poi viene bevuta un'ora prima di andare a dormire. La mia esperienza è stata la seguente:

- Dopo anni di problemi di insonnia, dormo meravigliosamente.

- Il succo di limone stimola il mio metabolismo anche durante la notte, brucio più calorie e ho una digestione migliore.

- Proteine di qualità assicurano al mio corpo la quantità giusta per funzionare alla perfezione e garantiscono che non ci sia una perdita di massa muscolare.

Non dimenticare il Magnesio

Molte persone oggi soffrono di carenza di magnesio. Nonostante questo, alcuni non se ne accorgono. Ci sono molte cause:

Il nostro cibo contiene meno minerali

- Mangiamo meno ortaggi a foglia e grani interi, dai quali potremmo ricavare molto magnesio.

- Bevande con fosfati, come la cola, diminuiscono l'assorbimento di magnesio.

- Anche quando bevi piccole quantità di alcool, circa 50 g di magnesio vengono espulsi dai reni.

- Il magnesio aiuta il nostro corpo a gestire meglio ogni tipo di stress o tensione, ma ne serve moltissimo per farlo.

Perché abbiamo bisogno del magnesio? La risposta a questa domanda non è così semplice. Il magnesio è una specie di manager di 3000 enzimi nel nostro corpo. Ha a che fare con una vasta gamma di processi fisici. Molti libri, in particolare il libro Minerals, il programma di successo di Strung e Jopp, mostrano molto meglio queste relazioni. Anche quando possiamo trovare molte più informazioni dettagliate nel libro, puoi capire l'idea principale riguardo ai benefici del magnesio anche solo leggendo i titoli dei capitoli:

- Magnesio contro lo stress

- Sonno migliore

- La Doccia del Buonumore durante il PMS

- Una gravidanza tranquilla

- 1 tedesco su 10 utilizza il magnesio contro l'emicrania

- Magnesio, la fonte di energia per gli atleti

- Brucia i grassi più velocemente durante l'aerobica

- Il Magnesio può proteggerti dal diabete?

- Riduce il rischio di infarto.

La maggior parte delle persone lo troverebbe molto utile. E se non è così, almeno una di queste cose attirerebbe la tua attenzione. Se l'obiettivo è quello di perdere peso, ci sono due aspetti da considerare:

Uno, per perdere peso il sonno è fondamentale. Ed è molto più importante di quello che credi, dato che molti studi affermano che in molti casi la carenza di sonno è uno dei motivi principali dell'obesità.

Il magnesio viene sempre preso in causa quando si parla di una buona qualità del sonno. Prima di tutto, il magnesio calma i nervi, cosa che aiuta a combattere lo stress. Un'altra motivazione per la quale le persone dormono poco è la tensione muscolare. Il magnesio agisce velocemente contro le gambe stanche e i crampi. E siccome aiuta a ridurre la pressione sanguigna, ti aiuta a dormire.

Per funzionare in maniera adeguata, le cellule hanno bisogno di magnesio. Questo agisce sulle cellule responsabili della digestione nutrendo i tuoi muscoli, incluso ancora una volta il cuore. Possiamo dimostrare ancora una volta quello che abbiamo già detto riguardo alla respirazione e all'ossigeno. Una carenza di magnesio causa la perdita di energia dei mitocondri, che sono la fonte di energia delle cellule. Meno energia vuol dire bruciare meno calorie.

Gli esperti suggeriscono di prendere 200 milligrammi di magnesio un'ora prima di andare a dormire. Consigliano anche di assumere la stessa quantità ogni mattina. A seconda della tua routine quotidiana, se implica un'attività sportiva, stress o qualsiasi altra cosa, dovresti prendere una dose più alta.

Qualcosa che Vale la Pena Ricordare

Tutto quello che viene affermato in questo libro è basato su esperienze personali, le esperienze dei miei pazienti o nei molti studi tenuti in giro per il mondo. Per questo è necessario consultare un operatore sanitario prima di inserire qualsiasi consiglio nel tuo programma di dieta. Le informazioni presentate qui non dovrebbero prendere il posto dell'opinione professionale di un operatore sanitario, o i suggerimenti, e/o i dosaggi. Ogni singolo corpo reagisce diversamente. Naturalmente non tutto quello che contiene questo libro dovrebbe essere considerato come una promessa di salvezza.